P9-BXZ-720

To Andréa Nève

A Andréa Nève

Originally published in French as *Au lit, petit monstre*

Spanish Translation by Margarida Trias
English Translation by Esther Sarfatti

ISBN 0-439-76892-6

12 11 10 9 8 7 9 10/0

Printed in the U.S.A.

First Scholastic Bilingual printing, September 2005

Mario Ramos

Off to Bed, Little Monster!
¡A la cama, monstruito!

SCHOLASTIC INC.
New York Toronto London Auckland Sydney
Mexico City New Delhi Hong Kong Buenos Aires

"Off to bed, little monster!
I'm going to catch you..."

« ¡A la cama, monstruito!
Te voy a agarrar... »

"Calm down, little monster.
Daddy is going to get mad, you know…
Do you understand?"
"No! Don't pick me up!"
"I'll put you down now. Give Mommy a kiss
and go up to your room, understood?"

« Calma, monstruito.
Mira que papá va a enojarse…
¿Comprendes? »
« **¡No! ¡En brazos no!** »
«Ya te dejo. Da un beso a mamá
y luego sube a tu habitación, ¿entendido? »

"Kiss Mommy no!"
"Well, then, Mommy will give you
a great big kiss."
"Good night, sweetheart."

« ¡ Beso mamá no ! »
« Bien, pues entonces será mamá
quien te va a dar un beso muy grande.
Buenas noches, cariño».

"Before you go up to bed
you have to give everyone a kiss."
"**No!**"
"I'm warning you, little monster,
don't come back downstairs. Let's go, off to bed..."
"**Pick me up!**"

«Antes de ir a dormir hay que
dar un beso a los demás».
«**¡No!**»
«Te lo advierto, monstruito,
no vuelvas a bajar. Vamos, a la cama...»
«**¡En brazos!**»

“Oh, no! Yuck!
I’ve told you many times.
That’s a toothbrush,
not a sink brush.”

«¡Oh, no! ¡Qué asco!
Te he dicho muchas veces
que esto es un cepillo de dientes
y no un cepillo de grifos».

"Well? How's that poo-poo coming along?
If you waste time,
I won't have time to read you a book…
Are you finished? It's about time!
Let's go! Off to bed, little monster!"

« ¿Qué? ¿Llega o no llega esta caca?
Si pierdes el tiempo,
no voy a tener tiempo de leerte un libro…
¿Terminaste? ¡Ya era hora!
¡Vamos! ¡A la cama, monstruito! »

"Be careful! You're going to fall! That one again?
You always pick the same one...
Today Daddy is going to pick the book,
all right?"
"**No!**"
"Well, then..."

«¡Cuidado! ¡Te vas a caer! ¿Otra vez éste?
Siempre eliges el mismo...
Hoy será papá quien escogerá el libro,
¿de acuerdo?»
«**¡No!**»
«Bien, pues...»

"Come sit next to me and relax.
And after the story, it's time for bed..."

*"The night Max wore his wolf suit
and made mischief of one kind and another..."*

"And that's the end of the story.
Let's go. It's time for bed, little monster."

«Ven a mi lado y tranquilízate.
Y después, a acostarse...»

*«Una tarde, Max se puso su vestido de lobo.
Hizo una tontería, y luego otra...»*

«Y colorín colorado, este cuento se ha acabado.
¡Vamos! A la cama, monstruito».

"Oh, no! That won't do at all! I'm going to get mad!
Beds are for sleeping,
not for dancing the samba on."
"I'm thirsty!"
"Another way of putting off your bedtime!
You've already had enough to drink..."
"Agggh! I'm very thirsty!"
"All right. I'll go get a glass of water for you."

«¡Ah! ¡No! ¡De ninguna manera! ¡Voy a enojarme!
La cama es para dormir
y no para bailar una samba encima».
«**¡Tengo sed!**»
«¡Otra forma de ir haciendo tiempo!
Ya bebiste bastante...»
«**¡Agggh! ¡Tengo mucha sed!**»
«De acuerdo. Voy a buscarte un vaso de agua».

“Now don’t take an hour to drink the water…
It’s getting late.
I’d like you to sleep a little tonight!”
“**Kiss Mommy**.”
“That’s the last straw! Absolutely not!
You know perfectly well that you should have
given her a kiss while you were downstairs…
You really are a little monster!”

«Ahora no te pases una hora bebiendo…
se ha hecho tarde.
¡Me gustaría que esta noche durmieras un poco!»
«**Beso mamá**».
«¡Esto es el colmo! ¡De ninguna manera!
Sabes perfectamente que tenías que
habérselo dado cuando estabas abajo…
¡Realmente eres un monstruito!»

"Now close those little eyes
and sleep until morning.
Good night, sweetheart."

«Ahora, cierra estos ojitos
y duerme hasta mañana.
Buenas noches, cariño».

"Good night, Daddy monster!"

« ¡ Buenas noches, papá monstruo ! »